종교가 없어도 가끔은 기도가 필요해

종교가 없어도 가끔은 기도가 필요해

발 행 | 2024년 2월 7일
저 자 | 김동현
펴낸이 | 한건희
펴낸곳 | 주식회사 부크크
출판사등록 | 2014.07.15.(제2014-16호)
주 소 | 서울특별시 금천구 가산디지털1로 119 SK트윈타워 A동 305호
전 화 | 1670-8316
이메일 | info@bookk.co.kr

ISBN | 979-11-410-7099-1

www.bookk.co.kr
ⓒ 김동현 2024

종교가 없어도 가끔은 기도가 필요해

김동현 지음

차례

4

마음의 위로와 공감이 필요한 당신께

당신에게 종교란

어릴 때부터 나는 어머니를 따라 성당에 다녔다. 어머니는 20대 초반에 우연히 성당에 가게 되었고, 심적으로 힘들었던 유년 시절의 상처를 기도로 치유했다고 종종 말씀하신다. 초등학교 3학년이 갓 되었을 무렵, 세례를 받은 나는 마치 학교로 등교하듯 매주 성당에 나갔다.

종교는 나에게 학교와 같았다. 힘든 일이 있을 때마다 버릇처럼 기도했다. 이 고난에서 하루빨리 벗어나게 해달라고 말이다. 그리고 이내, 왜 내 기도를 들어주지 않느냐며 툴툴대곤 했다. 그럼에도 기도를 놓지 않았던 이유는, 기도를 통해 힘든 점들을 털어놓을 때 그 잠깐의 순간만큼은 불안감이 사라졌다.

17세가 되던 해 나는 인도로 유학을 떠나면서 성당에 나갈 수 없게 되었다. 인도에도 성당이 있었지만 내가 숙박했던 유학원 원장과 대부분의 인원들이 교회에 다녔기 때문에 나도 자연스레 미사 대신 예배를 드리게 되었다. 성당과 교회를 모두 다녀본 내게 신앙심이 깊을 것이라 묻는다면 글쎄라고 답할 것이다.

어릴 때부터 노출된 환경 덕분에 성당과 교회를 모두 다녔지만 신은 꼭 존재해! 라는 정도의 믿음은 없었다.

나는 결코 종교를 비난하려 이 책을 쓰는 게 아니다. 지극히 평범한 내가 그동안 종교에 대해 생각해 온 바를 글로 끄적여보고 싶었다. 신을 믿지 않는다고, 혹은 믿는다고 비난할 이유는 없다. 과학과 종교가 공존하며 존중해 주는 게 서로 상부상조하는 길이다.

사춘기의 나는 이 세상의 시작과 끝에 대해 늘 궁금해했다. 성경책이 수많은 궁금증에 대한 답이 되어주진 못했다. 그러면서 점점 과학에 빠지게 되었다.

"신이 존재한다고 생각하느냐?"에 대해 답을 한다면 나는 "모르겠다."라고 답할 것 같다.

"신앙심이 부족해서 그런 것이다."라고 말한 다면 "그럴지도 모르겠다."라고 답할 것이다.

그래도 나는 가끔씩 기도한다.
신이 존재한다는 확고한 믿음이 없음에도 내가 힘들 때마다 "제 기도를 들어주세요!"라고 한다 면 이기적이라 보는 사람도 있을 것이다. 그렇 다 하더라도 상관없다. 인간은 원래 약한 존재 고 힘들 때 기댈만한 곳이 필요하다.

기도를 통해 정신을 집중하다 보면 마음이 조금은 편안해진다. 많은 이들이 명상을 하는 이유도 이러한 효과를 얻기 위함이 아닐까 싶다.

종교가 없어도 신앙심이 깊지 않아도 누구나 기도할 수 있다. 언제 어디서든 의지만 있다면 시간과 장소에 구애받지 않고 할 수 있다. 단 10초뿐이더라도 상관없다. 기도를 처음 시작하면 실망할 때도 많다. 희망을 가지고 기도해보지만 대부분 이루어지지 않는다. 하긴, 기도한다고 다 이루어지면 이 세상에 아프고 힘든이 아무도 없을 것이다.

믿음이 뚜렷한 분들은 내 믿음이 부족해서 혹은 기도의 목적과 방향이 달라서라고 말하기도 한다. 하지만, 주변에서 정말 절실한 믿음을 가지고 누구보다 선하게 살아온 이들의 기도가 이루어지기는커녕 더 악화된 경우를 수차례 보면서 안타까운 적도 많았다. 신이 정말 존재한다면 정말 불쌍한 이들의 기도를 들어주길 바란 적도 많았다. 그래서 요즘은 기도를 할 때 이렇게 말하곤 한다. "주님, 제 기도를 들어주시면 너무 좋겠지만, 저보다 도움의 손길이 필요한 이들을 먼저 도와주시고 저를 도와주셔도 괜찮습니다." 신의 존재를 확신하지 않으면서도 주님이라고 기도하는 이유는 성당과 교회를 모두 다녀본 경험 덕이다.

한결같은 사람이 되려고

사람 관계에 있어서 가장 중요한 게 꾸준함이라 생각한다. 누군가를 도울 때, 원하는 이성에게 다가갈 때, 일회성으로 무언갈 해주면서 반대급부로 다른 걸 원하는 경우가 대다수다. 이걸 나쁘다고 할 순 없다.

하지만, 상대와 비즈니스적인 관계가 아닌 장기적인 관계를 이어갈 때 한결같음은 정말 중요하다. 내가 누군가와 친해지고 싶을 때 일회성이 아닌 꾸준한 관계를 이어 나간다면 즉, 신뢰를 쌓아간다면 돈독한 관계가 될 수 있다. 꾸준함은 쉽지 않지만, 과정이 힘든 만큼 결과는 값지다. 내 마음이 진심이라면 상대에게 한결같은 모습을 보여주자.

상대와 오랫동안 좋은 관계를 유지하고 싶다면 위기상황에 어떠한 태도로 당신을 대하는지 지켜보도록 하자. 이러한 상황에서도 당신을 한결같이 대한다면, 그 지속 기간이 길어질수록 신뢰가 생긴다.

힘든 상황을 마냥 회피하고 최선을 다하지 않는다면 그 사람과는 오랫동안 좋은 관계를 이어 나가기 힘들다. 나도 무서워서 도망치던 지난날을 떠올리며 더 이상 회피하려 하지 않고 맞서려고 노력했다.

나는 한결같은 사람이라는 말을 듣는 게 좋다. 실제로 그런 사람이 되려고 노력한다.
나의 아버지는 어머니에게 항상 한결같은 분이었다. 그런 아버지를 항상 본받고 싶었다.
성실하고 책임감 있고 가정에 충실한 아버지 덕분에 우리는 큰 고난 없이 무난하게 사랑 듬뿍 받고 자랄 수 있었다. 화목한 가정에서 자란 게 얼마나 행복한 일인지 학창 시절 몇몇의 학우들을 보며 느낄 수 있었다.

아버지의 한결같은 자상한 모습에 비해 내가 결과로써 보여 드린 게 많지 않아 항상 죄송스러웠다. 아버지는 어려운 상황일수록 침착해지셨고, 빠른 결단력으로 문제를 해결하신다. 이에 반해, 나는 힘겨운 상황을 이겨내지 못하고 도중에 포기한 적이 꽤 있었다. 쉽지 않은 상황이 오면 이겨내기보다 도망치고 싶을 때가 많았다. 그럴 때마다 자존감은 더욱 낮아졌다.

나는 달성하기 어려운 이상적인 목표를 많이 잡았었고 이를 달성하지 못하면 스스로 낙담했다. 그래서 목표를 낮게 잡고 계획을 세워 조금씩 달성해나가면서 소소한 성공감을 느낄 수 있었다. 이런 작은 경험들이 모여 낮아져있던 자존감을 올릴 수 있게 되었다.

틀린게 아냐 다를 뿐이야

어릴 때 나는 남들과 같은 길을 가는 게 싫었다. 남다른 길을 가려 할 때마다 태클이 들어왔다.

"그 길은 아니야, 네 방법은 틀렸어."

"왜 이 쉬운 길을 두고 다른 길을 가?"

"이게 대부분의 사람들이 선택하는 가장 최적의 길이야."
라는 식으로 말이다.

인도에서 공부하며 새로운 경험을 하며 견문을 넓힐 수 있었지만, 쉽진 않았다. 내가 남들과 다른 길을 선택한 건 도피하려고 한 게 아닐까 하는 생각도 했다.

그러면서도 나는 내가 하고 싶은 것을 하며 가고 싶은 길을 가고자 했다. 남다른 길을 찾아 가려 했다. 우리 부모님은 반대하지 않고 하고 싶은 걸 하라며 적극 지원해 주셨다.

남다른 길을 걸어오는 과정에서 많이 방황하고 우울감에 빠지기도 했다. 그렇지만 후회한 적은 없다. 남다른 나만의 색을 내 인생의 도화지에 칠해왔다. 남들과 색이 다르다고 해서 그 인생이 틀린 것은 아니다. 사람의 겉모습만 보고 상대의 전체를 평가하는 이들을 많이 볼 수 있다. 모두 그렇진 않지만, 꽤 많은 이들이 그렇다는 걸 주변에서 쉽게 볼 수 있다. 나조차도 겉으로 보이는 상대의 모습을 보고 판단한 적이 꽤 있다.

편견을 의심해보라는 말이 있다. 똥인지 된장인지 먹어봐야 아느냐며 주변에서 말릴지라도 내가 직접 경험해봐야겠다고 생각한 것들은 해보는 게 내 인생에 도움이 될 때가 많았다.

그것이 진짜 내 인생을 찾는 길이다. 물론 주변의 조언을 마냥 무시해서는 안된다. 때로는 타인의 조언이 도움 된다. 우리는 성인이기에 옳고 그름을 판별할 능력은 갖추고 있다. 얻을 건 얻고 굳이 필요 없는 건 넘기면 된다.

사람은 누구나 불완전하다. 매일 새로운 걸 보고 느끼며 깨닫고 조금씩 완성되어간다.
완벽한 사람은 없다. 대학생 때 들었던 심리학 교수님이 떠오른다. 그녀는 종종 내담자를 만나고 나면 진이 빠진다고 했다. 그럴 때마다 집으로 돌아오는 길에 새 화분을 하나 구매해 온다고 했다. 작고 여린 생명을 돌봐야 한다는 책임감과 성취감으로 심리상담 이후 지친 심신을 위로받는다고 했다. 작은 화분에서 꼿꼿이 성장하는 모습을 보며 성취감, 행복감, 책임감 등을 느끼고 이러한 감정들이 삶의 활기가 된다.

내 마음속의 신

내 어머니는 남들보다 불안감을 더 잘 느끼곤 했다. 집에서 매일 기도하셨고, 점점 강해져 가는 모습을 바로 옆에서 지켜볼 수 있었다. 지금은 우리 가족 중에서 가장 정신력이 강하지 않을까 싶다.

힘들고 불안한 일이 있을 때 스스로 감정을 어느 정도 조절할 수 있게 되셨다. 이제는 웬만한 일에는 놀라지 않고 차분함을 유지하신다.

신이 존재하지 않아도 이젠 상관없다. 내가 사랑하는 어머니가 힘들 때 의지할 수 있는 곳이 되었다. 또한, 불안증을 낮게 해주는데 신앙생활이 큰 도움이 되었으니까. 눈에 보이지 않지만 저마다의 가슴속에 신이 존재하는 게 아닐까? 믿음이란 이런 게 아닌가 싶다.

내가 직접 느끼거나 보지 못했더라도, 마음으로 느끼고 볼 수 있다면, 어쩌면 그게 신이 아닐까 싶다. 사람은 생각하고 상상하는 존재다. 그렇기에 신앙은 상상할 수 있는 가장 이상적인 방향을 가리킨다.

나에게 도무지 믿기 힘든 일이 생겼을 때, 이성적으로 견딜 수 없을 때, 신을 믿고 나를 구원해 주리라 믿고 맡기면 때로는 그 상황을 이겨낼수 있는 힘이 생기지 않을까? 종교는 나약한 인간이 의지할 곳을 마련해둔 곳이라고 생각했다. 만질 수도 볼 수도 없지만 간절히 기도할 때 저마다의 가슴속에서 만날 수 있는 존재가 신이 아닐까.

믿는 사람에게는 존재하지만 믿지 않는 사람에게는 존재할 필요가 없기 때문에 신은 그들에게는 존재하지 않는 것이 아닐까. 믿지 않는 사람은 신이 가까지 하지 않기 때문에 평생 볼 수 없는 것 같다.

마음이 아파본 사람은 내 마음이 어디에 있는지 알고, 아파본 적 없는 사람은 마음이 어디에 있는지 모른다. 신이란 존재도 이와 마찬가지 아닐까 싶다. 느끼는 사람에게는 존재할 수 있고 느끼지 못하는 사람에게는 존재하지 않는 것이다.

우리가 살면서 도무지 형용할 수 없는 기적 같은 일이 생기는 걸 한 번씩 볼 수 있다. 과학으로도 도저히 설명할 수 없는 현상들 말이다. 저 현상은 신이 만들어낸 걸까?

종교 생활을 하며 들었던 교리들이 인생에 도움이 되기도 했다. 종종 깊은 울림을 주는 말씀들에 감동을 받았다. 어쩌면 종교는 알 수 없는 사후세계를 위한 투자가 아닌, 지금 현생을 살아가면서 나를 바로잡을 수 있게 해주는 깨달음에 더 가치를 두는 것이 아닌가 하고 말이다.

나는 맹목적인 믿음을 좋아하지 않는다. 믿음을 강요하듯 거리에서 광고하고 다니며 불신 지옥을 외치는 자들을 보면 인상이 찌푸려진다. 일단 믿고 보라는 식의 태도는 참으로 사람들로 하여금 더욱 거리를 두게 만든다. 이는 다른 종교들까지 먹칠하는 행위다.

무조건 믿어라! 라고 주장하는 사람들은 어쩌면 과학이 이 세상의 근원에 대해 하나씩 증명해낼수록 불안해서 그런 게 아닐까 하고 생각했었다. 과학이 밝혀내는 연구 결과에 의해 믿음의 근간이 흔들릴 수 있기 때문이다. 과학이 발전할수록 이런 현상이 더 짙어질 것이다. 그럼에도 종교가 이 세상에 주는 이점들이 분명히 많다.

모든 신자들이 다 올바르다고는 할 수 없지만, 믿음이 강한 사람들은 좀처럼 윤리에 어긋나는 일을 하지 않으려 한다. 하루를 반성하고, 더 나은 내일을 만들려 노력한다.

예전에 듣던 교리 중 인상 깊었던 내용이 떠오른다. 만약 당신이 신의 존재가 의심스럽다면 이렇게 생각해보라. 미래에 늙어 죽었을 때, 정말 내가 천국에 와있다면, 내가 믿음을 가지기 잘한 것이다. 반면, 신도 없고, 사후세계따위 존재하지 않는다 하더라도 살아생전 신앙생활을 하며 영적 내실을 다지고 올바르게 살아왔으니 만족할만한 삶을 산 것 아니냐고 말이다.

 아이러니했지만 나쁘지 않다고 생각했다. 천국이 있으면 좋은 거고 없어도 내가 인간으로 살아가는 동안 열심히 살아가는 버팀목이 되어줬으니 만족하면 되는건가? 싫었다.

이런 이야기도 있었다.

천국에 가서 내가 거주하게 될 집을 지금 현생에서 만들어가는 것이라는 말이다.

지금 이승에서 착하게 성경 말씀대로 살아가면 죽은 뒤 행복하게 지낼 수 있다는 말과 같다.

어쩌면 우리가 지금 들고 있는 보장 보험처럼 '천국 거주 획득권'을 적립해가고 있는 것 같다고 여겼다. 종교는 때로는 법과 질서와 같은 작용을 한다. 모든 사람들이 신이나 사후세계 따위는 존재하지 않는다고 여겨버리면 법을 지키지 않거나, 비도덕적으로 남에게 해를 끼치며 살아갈 사람들이 더욱 많아질 것이다. 이런 점에서도 종교는 우리 세상에 긍정적인 영향을 끼친다.

내가 잘못한 점을 반성하고 회개하고 더 나은 내일을 위해 오늘 기도하고 이러한 종교의 장점을 살려 신앙생활 한다면 가장 이상적인 종교인의 삶을 사는 것이라 본다.

나에게 주어진 오늘의 삶을 열심히 살면서 나를 되돌아보는 계기를 마련하는 게 종교의 선순환적인 기능이 아닐까.

풍요의 저주 결핍의 축복

사람이 좋아 시작한 종교 생활을 결국 사람 때문에 끝내는 경우를 주변에서 많이 봤다. 심신이 지치고 힘들 때 손길을 내밀어주어 다니게 되었으나, 사람으로 인해 더 큰 상처 받게 된 경우다. 이렇게 되면 종교에 대한 반감은 더욱 커진다.

나도 종교 생활을 하면서 가장 큰 기쁨이 좋은 사람들과 나누는 시간이었다.

하지만 사람이 있는 곳엔 항상 문제가 생기기 마련이다. 그 문제들의 원인은 대부분 시기와 질투였다. 종교 생활을 하면서도 재산 자랑, 자식 자랑하는 사람 그리고, 보여주기 위한 허세가 가득한 사람들을 볼 수 있다. 어딜 가나 있는 그런 사람들이다.

우리의 삶은 한정되어 있다. 언제 돌아갈지는 모르지만 영원한 건 없다. 내일, 아니 당장 오늘 어떤 일이 닥칠지 모른다. 그래서 하루를 더 의미 있게 살아가야 한다. 영원하지 않기에 삶은 의미가 있다. 내가 사랑했던 지난 연인이 했던 말이 떠오른다. 그녀는 '풍요의 저주, 결핍의 축복'이라는 문장을 자주 읊조렸다. 아무것도 가지지 않았을 때, 하나만 있어도 감사함을 느끼고, 풍요로울

땐 하나만 가졌을 때의 감사함을 망각한다. 그러고선 더 가지려 욕심부린다. 욕심이 그득해지면 마음의 안식은 사라진다. 욕심이라는 저주에 걸리게 된다. 지금 처한 환경과 가진 것에 만족하며 살아가는 현자가 이 세상에 얼마나 있을까 싶지만 그들의 마음가짐은 항상 배우고 싶다.

나는 항상 불평불만이 많았다. 남들이 가진 걸 내가 가지지 못해 불평했다. 평균에 미치지 못하는 부분에 '나는 왜 이럴까'하고 투정 부렸다. 평균을 넘어가면 우월감을 느끼고 평균에 미치지 못하면 자괴감을 느끼고 세상에서 도태되는 느낌마저 들었다.
이제는 내가 힘들 때, 나보다 더 힘든 상황에 처한 사람들을 보려한다. 사람은 대체로 자신보다 나은 사람과 환경을 부러워 한다. 또, 이들을 질투하며 스스로 힘들게 한다.

20대 중반에 있었던 일이다. 슬리퍼를 신고 길을 터벅터벅 걸어가는데 바닥에 끈적이는 본드같은 물질이 묻어있었는지 딱 달라붙어 도무지 떨어지지가 않았다. 조금만 힘을 더 주면 슬리퍼가 찢어질 것 같아 포기하고 한쪽 슬리퍼만 신고 가던 길을 갔다. 이때만 해도 불평불만이 극에 달하던 시절이었던지 갖은 짜증을 내며 길을 걸었다.

"왜 나한테 하필 이런 일이 일어난거지? 재수도 더럽게 없네?" 하고 말이다.

그렇게 투덜대던 찰나 내 앞으로 휠체어를 타고 하체의 절반 정도가 보이지 않는 사람이 지나가고 있었다. 그의 얼굴은 미소를 띠었고, 세상 즐거운 표정이었다.

순간 나는 머릿속이 멍해졌다. 온몸이 멀쩡한 나는 슬리퍼 한 짝 버렸다는 이유로 온갖 짜증을 내고 있었는데, 몸이 온전치 않은 사람은 세상에서 가장 행복해 보이는 표정으로 지나갔기 때문이다.

그날 이후로 나는 짜증 나는 상황이 올 때 나보다 더 힘든 상황에 처해있는 타인과 입장을 바꿔 놓고 생각해보려 한다. 그러다 보면 내가 지금 배가 불렀구나 하고 마음을 다잡게 된다.

목마름에 대한 고찰

목마름은 욕망이라고 생각한다. 간절한 사람에게는 욕망이 더 크고, 이를 이루기 위해 끊임없이 도전한다. 이에 따라 좋은 기회를 얻을 확률도 그렇지 않은 사람보다 높다. 자신이 원하는 바를 이루기 위해 철저히 계획하고 꿈의 조각을 맞춰나가는 사람을 늘 존경한다.

하지만, 어떠한 욕망이 너무 과해지면 또 문제가 되기 때문에 언제나 중용의 태도가 필요하다. 중용은 극단으로 치우치기 쉬운 우리의 감정과 욕구를 이성의 힘으로 바로잡는 덕이라고 한다. 말 그대로 한쪽으로 치우치지 않고 지나침도 모자람도 없는 것이다. 욕망이 주는 강렬한 에너지에 어느 순간 휩쓸리게 된다면 그때부턴 걷잡을 수 없는 나락으로 빠져 욕망의 노예가 되기도 한다. 지나친 욕심으로 인생의 쓴맛을 본 사례들을 매체를 통해 많이 볼 수 있었다. 욕망은 채워도 채워도 결국 완전한 만족은 힘들기에 절제가 필요하다. 그러한 본성을 이해하지 않고 간절함만 쫓다 보면 망가지기 십상이다.

행복이란 무엇인가에 대해 생각 해봤다. 우리는 기본적으로 평온을 누리는 상태가 가장 이상적이라고 본다. 꼭 어떤 좋은 일이 일어나야 행복한 것이 아니라 어떠한 일도 일어나지 않고 하루를 무난하게 보낸다면 행복한 하루다. 어쩌다 한 번씩 느끼는 큰 기쁨보다 일상에서 소소하게 느끼는 자그마한 기쁨이 우리 삶을 더 윤택하게 만든다. 물론 사람에 따라 다를 수 있다. 나는 평온한 상태의 소중함을 자주 망각하곤 한다. 건강을 한번 예로 들어보자. 건강은 아프기 전, 건강할 때 지켜야 한다는 말이 있다. 나는 이 말에 전적으로 동감한다. 젊다는 이유로 인스턴트 음식과 기름진 육류 위주의 식단으로 야식을 즐기다 보니 혈압과 몸무게가 수직으로 올라가 있었다.

정상 수치를 벗어난 것도 문제였지만, 직접적으로 내가 느끼는 증상들이 있었다. 항상 몸이 찌뿌둥하고 피곤했다. 몸에 여러 안 좋은 증상이 늘어나면서 후회했다. 이전에 건강했던 날들을 그리워하다가 정신을 차리고 운동을 하고 식단을 바꿨다. 몸에 좋은 걸 많이 챙기려 하기보다 몸에 좋지 않은 걸 피하는 게 더 중요하다. 영양제를 챙겨 먹고 몸보신을 하는 것도 좋지만, 적당한 칼로리 소모 없이, 영양이 불균형한 음식을 자주 섭취하는 것이 더 좋지 않다고 한다. 나름 독하게 마음을 먹고 건강을 다시 되찾았지만, 여전히 한 번씩 절제하지 못하고 과식을 하곤 한다. 절제는 항상 어렵지만 꼭 필요하다.

내가 마음먹은 것을 달성하기 위해 자신의 목표를 구체화하고 달성 기한을 정하여 차근차근 나아가는 걸 추천한다. 목표를 정할 때는 너무 쉽거나 너무 어렵지 않은, 적당한 난이도를 설정해보자. 성취하고자 하는 목표치가 너무 낮다면 막상 달성하고도 욕구를 충분히 충족하지 못해 금방 목마를 것이다. 반대로 목표치가 너무 높다면 달성하지 못할 확률이 커 쉽게 좌절하고 자존감이 떨어질 것이다.

술은 잘못이 없어

내겐 알코올을 분해하는 효소가 부족하다. 순한 잔만 마셔도 얼굴이 굉장히 빨개진다. 20대 초반엔 나도 술을 잘 마시고 싶다는 생각을 많이 했다. 나이가 들고 경험이 많아지면서 술로 망가지는 사람을 많이 보기도 했다.

어떤 방면에서든 욕구를 절제할 줄 아는 사람을 존경한다. 술에서도 마찬가지다. 자신의 주량을 간과하고 몸을 가누지 못해 차마 말로 표현하기 힘든 실수를 범하는 사람들을 꽤 자주 본다.

속된 말로 술 먹고 개가 되는 사람을 볼 때마다 이렇게 생각하곤 한다. "나도 만약 술을 좋아했다면 저렇게 될 수도 있었으려나?"

술 자체가 나쁘다고 생각하지 않는다. 고된 하루를 보내고 한 잔 들이켜는 술은 누군가에겐 위로가 된다. 모든 게 과해서 문제다. 적당히 취하고 자기 몸을 잘 가눌 수만 있다면 문제되지 않는다. 하지만 문제는 늘 과했을 때 일어난다. 취기에 서슴지 않고 말을 막 뱉거나, 남에게 시비를 거는 등 주변에 피해주는 사람은 늘 꼴불견이고, 가까이하고 싶지 않다.

술 문제로 뉴스를 접하면서 주취 감경에 대한 판결에 대한 여론의 따가운 시선도 자주 볼 수 있다. 앞서 잠깐 언급했듯, 만약 나도 술을 잘 마셨다면 어땠을까 하는 생각을 여러 번 했다. 지금과는 다르게 유흥에 눈을 뜨게 됐을지도 모르겠다. 아예 시작을 안 하니 해보고 싶다는 생각도 들지 않는다. 처음이 힘들지 두 번째, 세 번째 그 이상은 너무 쉬워지는 것처럼.

예전보다는 덜 하지만 술을 강요하는 사람도 정말 꼴불견이다. 자신의 기분이 좋다고 술을 못 마시는 타인에게도 그 기분을 맞추길 강요하는 것과 다름없다. 항상 중용의 자세를 갖추기는 쉽지 않다. 부족하지도 넘치지도 않는 평온한 상태가 가장 이상적인데, 그걸 알아차리기는 힘들다. 더 욕심을 부리다 낭떠러지로 떨어지곤 한다.

가끔 나는 어머니께 지난 과거를 떠올리며 조금 더 풍족했던 과거가 그립지 않냐고 묻는다. 그럴 때마다 이렇게 대답하신다.

"아니, 지금이 제일 행복해."

물론, 지난 과거에 대한 아쉬움과 후회가 없다고는 말할 수 없지만, 지난 과거가 있기에 지금의 우리가 있고, 과거를 그리워한들 다시 돌아갈 수 없다. 그래서 현실을 받아들이는 것이라고 말씀하신다. 현재에 만족할 줄 아는 법이 욕망이 주는 비극에서 멀어지는 길이라 생각한다.

과거도 미래도 아닌 현재를 즐기며 살줄 알면 그게 정말 큰 행복이라는 말이 있다. 정신적으로 굉장히 건강한 삶을 살고 있는 것이라고. 불만투성이였던 나는 이런 어머니의 삶의 태도를 보고 조금씩 고쳐나가 이전보다는 조금은 긍정적으로 세상을 바라볼 수 있게 되었다. 그냥 남들처럼 평범하게 살았으면 좋겠다고 생각했다. 평범한게 제일 어렵다고 많이들 말한다.

인간의 욕심은 끝이없어, 이미 넘치는데도 더 많은 것을 바란다. 과잉은 부족한 것만 못하다. 부족할 때보다 더 불행하게 될 수도 있다. 풍요의 저주인 것이다. 자기 자신을 잘 아는 것이 중요하다.

자신을 알면 컨트롤 하기 수월해진다.

1. 나의 목마름, 내가 원하는 것은 무엇인지?

2. 내가 원하는 목표치가 어느 정도인지?

3. 내가 원하는 바에 어느 정도 다 달았는지? 아는 것이 중요하다.

나도 끊임없이 공부 중이다. 내 자신을 알기 위해서 말이다. 어린 시절 보던 만화를 어른이 되어보니 다른 시각으로 볼 수 있게 되었다.

어릴 때 보던 아기공룡 둘리의 고길동 아저씨가 어른이 되어보니 불쌍해 보인다. 어른이 되어보니 둘리와 친구들이 너무 얄밉게 보였다. 크레용 신짱의 짱구 아빠는 30대 중반의 나이에 마당에 있는 집에 사는 것을 보고 굉장한 능력자임을 알게 된 것처럼.

말뚝에 묶인 코끼리

지구의 동물 중 코끼리가 가장 힘이 세다고 한다. 하지만, 아기 때부터 말뚝에 묶여있던 코끼리는 성인이 되어서도 그곳을 벗어날 생각조차 하지 못한다.

어릴 때 아무리 발버둥 쳐도 벗어나지 못한 경험이 이미 학습된 것이다. 충분히 벗어날 힘을 가졌는데도 말이다.

서커스 공연에 출연하는 코끼리는 대게 어릴 때부터 이렇게 길들여진다고 한다. 어릴 때부터 반복되는 좌절을 주면 나이가 들어서 힘이 세져도 조련하는 사람한테 옴짝달싹 못 하는걸 볼 수 있다. 살아오면서 무언가 시도해 보지도 못하고 중도포기 해본적 있을 것이다.

여러 차례 시도하면서 쌓여온 그동안의 경험이 밑바탕 되어 단 한 발자국만 더 가면 내가 얻고자 하는 걸 얻을 수 있는데도 말이다.

내가 달성하고자 하는 목표치에 얼마나 근접한지 알 수 있다면 얼마나 좋을까? 그럼 모두가 성공했을 것이다.

그렇다면 더이상 안되겠다고 포기하려할 때 딱 한번만 다시 도전해보면 내가 원하는걸 이룰 수 있지 않을까.

죽음 그리고 후회 없는 삶

사람이라면 누구나 죽음이 두렵다. 지금의 내 존재가 이 세상에서 언젠가는 실체 없이 사라질 것이라는 생각이 큰 두려움으로 다가왔다. 이 세상에서 내가 사라져도 아무렇지 않게 이 세상은 흘러갈 것이다.

믿음을 가진 신자들에게 있어 죽음에 대한 두려움은 종교 생활을 열심히 하게 되는 원동력이 된다.

　유한한 삶을 사는 우리는 후회하지 않을 삶을 살기 위해 오늘도 열심히 하루를 보낸다. 죽음을 앞둔 사람들이 생을 살며 후회하는 것 중 하나가 용기가 부족해 시도해 보지 못한 경험들을 꼽았다. 나도 좀 더 젊을 때 용기가 없어 하지 못했던 것들이 하나둘씩 스쳐 지나간다. 일어나지 않은 일들을 미리 걱정하고 지나치게 생각만 하다가 도전하지 못했던 것들이다. 지금이라도 알고 후회하지 않는 삶을 살고자 한다.

사람이 죽기 전 많이 후회하는 것들 몇 가지를 찾아봤다. 내가 지금 실천하고 있지 못하는 몇 가지가 있다.

그중 내가 뽑은 목록은 다음과 같다.

1. 다른 사람이 어떻게 생각하는지 지나치게 신경 쓴 것

2. 나보다 다른 사람을 우선시한 것

3. 과거에 사로잡혀 있었던 것

4. 너무 많은 걱정을 했던 것

5. 별 것 아닌 일로 신경을 너무 많이 쓴 것

목록들을 보면 비슷한 점을 느낄 수 있다. 남의 눈치를 보고 과거에서 벗어나지 못하고 생각과 걱정이 지나치게 많다.

지난날을 떠올려보면 난 정말 남의 시선을 많이 살폈다. 누군가 적대적으로 대하면 내가 어떤 잘못을 했는지 나에게서만 이유를 찾으려 했다.

모든 사람에게 인정받고 싶었다. 모든 사람에게 좋은 사람이고 싶은건 내 욕심이었다는 것을 꽤 시간이 흐른 뒤에 알 수 있게 되었다. 내 능력으로 바꿀 수 없는 것들에 지나치게 집착했고 과거에 사로잡혀 미래를 가로막고 서 있곤 했다.

내 인생의 주인공은 나다. 남들의 입맛에 맞춘 내 모습으로 살아가려 하면 분명 나도 먼 훗날 후회할 것이라고 생각했다.

그리고 후회하지 않는 삶을 살기 위해 과거 대신 현재를 살려고 노력한다. 생각과 걱정이 몰려올 땐 무언가 다른 집중할 수 있는 행동을 하려고 한다.

깨달은 점이 한 가지 있다.

생각보다 사람들은 남에게 관심이 없다는 것이다. 간혹가다 외출할 때 보게 되는 대중교통 빌런들처럼 특수한 경우를 제외하고는 내가 생각한 것만큼 그들은 내게 관심이 없었다.

결국 중요한 건 내가 나를 어떻게 여기느냐였다. 내 스스로 나를 높게 평가하고 자신감이 있다면 남이 어떻게 나를 평가하든 상관없다.
근거 없는 자신감이 아니라 끊임없는 자기계발로 매일 발전하는 나를 만들어가면 분명 도움된다.

누군갈 미치도록 싫어해보다

살면서 누구나 누군갈 싫어해본 적 있을 것이다. 무던한 성격 덕분에 누군가 날 힘들게 해도 그 사람이 미치도록 싫지는 않았다.

되려 내가 무언갈 잘못해서 이 사람이 나에게 성을 내는 건 가라고 생각할 정도였다. 지금은 생각의 사고 구조를 바꿨다.

타인의 분노를 나의 잘못에서 찾지 않는다. 내가 잘못한 것이 있다면 사과를 하고 고치도록 해야겠지만 상대의 근거 없는 화로부터 나를 지킬 줄 알게 되었다. 난 비교적 최근에 누군갈 미치도록 싫어했었다. 그것은 바로 우리 집 위층 세대다. 어느 정도 감이 오는가? 바로 층간소음 문제였다.

그동안 살면서 층간소음을 모르고 살았지만 약 5년 전 윗집이 새로 이사 오면서 지옥은 시작되었다. 이전 이웃은 유치원생을 둔 아주 매너가 좋은 분들이었기에 더욱 대조되었다.

주말부부인 윗집 세대는 당시 중고등학생 아들이 둘 있었는데 새벽 2시가 넘어서도 쿵쾅쿵쾅 소음을 하염없이 내곤 했다.

한번은 어머니가 올라가 정중하게 말씀드렸지만, 애들이 사춘기라 어쩔 수 없다는 대답뿐이었다. 관리사무소를 통해 여러 번 새벽 시간만이라도 주의해주길 바란다는 의견을 전달했음에도 말짱 도루묵이었다.

되려 "우리 집에서 뛰어다니는 것도 안 되냐?"라며 성을 냈다.

일이 크게 벌어지는 것을 원치 않은 우리 부모님은 더 이상 상종하지 말고 그냥 참자고 하셨다. 어차피 말이 안 통하는 사람들이었다.

일주일 정도 지났을까. 갑자기 베란다 문으로 라면으로 추정되는 음식물 쓰레기가 내방 베란다 문으로 투척 되었다. 우리뿐 아니라 아래층의 여러 세대가 동시에 피해 입었다. 그리고 경찰에 신고했다. 출동한 경찰에 의해 윗집 애들이 오물 투척했다는 증거를 잡게 되었다. 하지만 윗집 애들이 미성년자라는 이유로 해당 사건은 현장 종결 마무리되었다. 오물은 추후 청소업체를 통해 청소되었다.

우리 집을 포함해 피해 입은 세대는 사과 한 번 받지 못했다. 입주 때부터 알고 지내던 앞집 학생의 말에 따르면 위층 형제들이 학교에서 불량 청소년으로 악명 높다고 했다.

학교에서도 온갖 불량한 행동을 일삼는 아이들이라고 하니 그동안 그들이 보여준 행실이 더 와닿았다. 위층으로 인해 그동안 겪은 악랄한 사례를 하나하나 나열하기 힘들 정도로 많지만 큰 사건을 하나 꺼내 보았다. 무엇보다 취침 시간에 지속되는 발소리는 사람을 피폐하게 만들었다.

 어느 채널에서 변호사가 층간소음과 관련해서 이야기하는 영상을 봤었다. 그 또한 수년간 층간소음으로 고통을 겪었는데 특히 그의 아내가 정신적 고통을 여러 차례 호소했다고 한다.

소음에 대한 피해를 알리고 민사소송을 통해 보상을 받는 방법이 있긴 하지만, 걸리는 시간 대비 얻는 승소의 이익이 워낙 적다고 하여 시도조차 하지 않았다고 한다. 그 변호사는 얼마의 시간이 지나 이사했다고 한다. 법률 전문가도 해결하기 난감한 문제가 층간소음이라 한다.

층간소음과 관련된 문제는 결국 이사가 답이라는 걸 알게 되었다. 이사도 여러 번 알아봤지만, 예정에 없던 이사는 쉽지 않았다. 극심한 층간소음과 기타 문제들을 제외하고는 다른 이웃들과의 관계나 주변 인프라가 모두 만족스러웠다. 수년간 겪은 일들을 계기로 이웃 잘 만나는 것도 복이라는 문장에 백번 공감한다.

나에게 이런 일이 있을 줄이야. 세상엔 참 이 해하지 못할 사람들이 많다는 것 또한 깨닫게 되었다.

새벽 시간에 휴식을 취해야 하는 집에서 제대 로 쉬지를 못하니 특히 나같이 생각 많고 고민 많은 사람은 더더욱 견디기가 힘들었다. 모두가 잠든 조용한 시간에 반복되는 소음은 예민한 사람뿐 아니라 다소 무딘 사람도 미치게 한다.

층간소음을 비롯한 각종 사회 문제들을 뉴스 에서 쉽게 접할 수 있다. 타인에게 피해를 주지 않기 위해 조금씩 양보하고 살면 어떨까 하는 아쉬움이 남는다.

나는 그들이 위에서 무심코 뛸 때마다 가슴이 출렁였다. 그리고 수시로 기도했다. "이렇게 저를 힘들게 하는 그들이 잘못을 깨닫고 고치게 해주세요."라고 말이다. 이런 기도는 절대 들어주지 않으실 거라는 말을 수없이 들었음에도 분노의 기도를 했다.

어떤 신이든 좋으니 제발 저들을 저지해 주세요라고 말이다. 결과는 어땠을까? 물론 바뀌는 건 없었다. 어쩌면 기도를 하는 동안에는 기도에 집중할 수 있으니 층간소음의 고통에서 잠시나마 벗어나는 나만의 공간을 만들어낸 게 아닌가 싶다. 기도하는 사람의 마음이 이런 건가 싶었다. 비가 오나 눈이 오나 기쁠 때나 슬플 때나 기도하는 사람은 신앙심이 꽤 깊다.

하지만, 신앙심이 그다지 깊지 않은 사람의 대다수는 좋은 일이 있을 때보다 힘들 때 그 상황에서 벗어나고 싶어서 많이 기도한다. 그게 나쁜 것은 아니다. 누구든지 내가 행복할 때보다는 힘들 때 의지할 대상을 찾는다.

누군가는 신의 존재를 당연하게 여길 것이며 또 누군가는 부정할 것이다. 또 다른 누군가는 당장 하루 열심히 일하고 집중하느라 종교와 신에 대해 관심조차 없을 수 있다. 하루하루 먹고사는데 정신없이 보낼 것이다. 종교가 있든 없든 무조건 강요만 해서도 안되며, 종교를 비난해서도 안된다. 서로 공존하며 사회를 이롭게 한다면 이 세상은 더 아름답게 바뀌지 않을까.

추운 겨울이 지나 따뜻한 봄이 오고 있네요.
새로운 계절의 시작과 함께 여러분의 한 해가
다채로웠으면 좋겠습니다.

2024년 봄을 앞두고